Pırtık Tekir

Yazan: Julia Donaldson
Çizen: Axel Scheffler

TÜRKİYE İŞ BANKASI
Kültür Yayınları

Pırtık Tekir bir çalgıcı kedisiydi
Bir miyavladı mı ortalık inlerdi
İkisi birden şarkılar söylerlerdi
Eski ekose şapka atılan paralarla dolar
Yoldan geçenler durup onları dinlerdi:

"Ben ve sen bir de eski gitar
Ah gururluyuz ve mutlu ne kadar
Mİİİ-YAVVV bir de eski gitar
Ah GURRR-urluyuz ve mutlu ne kadar."

Çalgıcı
Giremez

Bir sabah Hüsnü yerken sucuk ekmeğini
Tur atmaya çıktı Pırtık Tekir sokaklarda

Birden durdu – çünkü bir apartmanın önünde görmüştü onu
Öyle güzeldi ki ışıl ışıl yeşil gözleri
Tüyleri simsiyah, kar gibi beyaz bir patisi.

Karpati ile Pırtık Tekir kedice bir sohbete daldılar
Dereden tepeden, havadan sudan konuştular da konuştular
Ve böyle başladı onların öyküsü.

Kapkaççının biri göz koymuştu eski ekose şapkaya
Dikti gözlerini, kaptı şapkayı, başladı kaçmaya!

Koştu peşinden çalgıcı, ama çözüktü bağcığı
Ve güm! diye düşüverdi aniden zavallı.

Kırdı bacağını, şişti kafası,

Bir de baktı ki kentin çok uzak bir köşesinde
Bir hastane yatağındaydı.

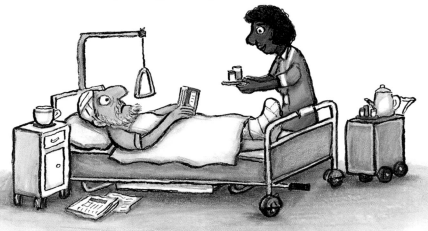

"Hoşçakal," dedi Pırtık Tekir, "Hüsnü'nün yanına dönmeliyim."

Peki ama, nereye gitmişti bu çalgıcı?

Güneş battı, hava karardı
Yıldızlarla doldu gökyüzü, ama geri dönmedi Hüsnü
Pırtık Tekir bekledi... bekledi durdu.

Bir hafta sonra dolaşmaya çıktı Karpati
Ve yeni arkadaşını çok zayıflamış gördü.
"Çekip gitti, terk etti beni," dedi Pırtık Tekir.

Karpati onu teselli etti: "Benim sahiplerim, Handan ile Bahar
Böyle güzel bir tekir kediyi memnuniyetle evlerine alırlar."

Haklı çıktı, aldılar içeri Pırtık Tekir'i.

Ertesi sabah, yaşlı Hüsnü çıktı
hastanedeki yatağından
Geri döndü her zamanki meydana.
Ama ikisinin yerinde şimdi bir nefesli
çalgılar orkestrası vardı
Bir şeyler çalıp duruyorlardı.
Hüsnü miyavlamasıyla ortalığı inleten
kedisini arandı
Ama Pırtık Tekir
kayıplara karışmıştı.

Çalgıcı
Giremez

Pırtık Tekir'in artık bir karısı ve çok meşgul bir yaşamı vardı
Yapacağı Bir Dolu İş vardı,

Handan'ın ayaklarını yıkamak,

Bahar'ın üzerine sıçramak,

Arabanın anahtarlarını kilimin
altına saklamak,

Ve bir güzel ütülemek
gazeteleri,

Fırsatını bulunca bir vuruşta uçurmak kalemleri,

Ve tadına bakmak birazcık şunun...

... birazcık bunun,

Ama her gece yattığında düşünüyordu
eski ekose şapkalı yaşlı dostunu

Ve hep hüzünlü bir
miyavla uyanıyordu.

"Hüsnü'ye ne oldu?" diye sık sık soruyordu.
Patileri onu kendiliğinden meydana götürdü
Ama ikisinin yerinde bir sihirbaz duruyordu.

Şapkasından şunu çıkarıyordu...   ... bunu çıkarıyordu...

Ve insanlar para atıyordu siyah silindir şapkaya.
Ama çalgıcı yoktu ortalarda.

Bir sabah Karpati, "Yatağın altına bak," dedi,
"Doğurdum üç minik, yavru kedi."

Ve Afacan böyleydi,   Ve Minnoş şöyleydi,

Ve Cimcim Tekir, en küçükleri
Hık demiş babasının burnundan düşmüştü.

Üç minik yavru büyüdüler, miyavlamayı öğrendiler,
Pırtık Tekir şarkısını söylerdi bazen onlara.

Ve Cimcim Tekir o güzel tekircik tüyleriyle
Çınlatırdı ortalığı çok pes bir gurrlama ve tiz bir miyav sesiyle
Bayılırdı yalnız başına şarkı söylemeye:

"Ben ve sen bir de eski gitar
Ah gururluyuz ve mutlu ne kadar
Mİİİİ-YAVVV bir de eski gitar
Ah GURRR-urluyuz ve mutlu
ne kadar."

Minnoş ile Afacan kendilerine iyi evler buldular
Ana-babaları mutlu olup gurur duydular.

Evlerin biri böyleydi...

ve diğeri şöyleydi...

Ama hiç kimse istemedi zavallı Cimcim Tekirciği
"Sesi ne çok çıkıyor öyle," dedi eve gelenlerin hepsi.

Pırtık Tekir artık bir ev kedisi olmuştu
Ama Hüsnü hiç aklından çıkmıyordu.

Bir gün karısıyla oğlunu çağırdı yanına,
Şöyle dedi onlara:
"Bugünün işini yarına bırakmamalıyım,
Mutlaka gidip onu bulmalıyım."

Bir aşağı bir yukarı...

tüm kenti dolaştı...

Bir hafta boyunca aradı durdu,

Sabah demedi, akşam demedi
Gün ışığında, ay ışığında aradı durdu,

Ta ki tanıdık bir ses duyuncaya kadar...

"Yalnızca ben ve eski gitar
Bir kedim bile yok,
Yalnızca ben ve eski gitar,
Kedim çıkıp gelse mutlu olurdum çok."

"Pırtık Tekir bu, uzun zaman önce
yitirdiğim kedim!" dedi
ve yaşlı Hüsnü mutluluktan
kendinden geçti.

Sonra ikisi birden
şarkılar söylediler,
Yeni ekose şapka
atılan paralarla doldu.

Ama Pırtık Tekir niye üzgün duruyordu?

Karısı ve rahat yaşamını özlemişti
ve Yapacağı Bir Dolu İşi,
(Handan'ın ayaklarını yıkamak ve
Bahar'ın üzerine sıçramak,
Arabanın anahtarlarını kilimin altına saklamak,
Ve bir güzel ütülemek gazeteleri,
Fırsatını bulunca bir vuruşta uçurmak kalemleri.)
Ama nasıl anlatacaktı bunu çalgıcıya?

Sonra bir köşeden ortaya çıkıverdi Cimcim Tekircik
"Lütfen bırak, BEN olayım çalgıcının kedisi,"
Dedi kulakları sağır eden miyavlamasıyla.

Şimdi Cimcim Tekir olmuştu çalgıcının kedisi
Bir miyavladı mı ortalık inliyor
İkisi birden şarkılar söylüyor
(Gerçi Tekircik notadan pek anlamıyor)
Ama eski ekose şapka atılan paralarla doluyor,

Yoldan geçenler durup onları dinliyor:

"Ben ve sen bir de eski gitar
Ah gururluyuz ve mutlu ne kadar
Mİİİ-YAVVV bir de eski gitar
Ah GURRR-urluyuz ve mutlu ne kadar."

Kız kardeşim Mary için – J.D.
Erkek kardeşim Martin için – A.S.

Orijinal adı: Tabby McTat

First published in the UK in 2009 by
Alison Green Books
An imprint of Scholastic Children's Books
London, England

Türkiye yayın hakları:
© 2009, Türkiye İş Bankası Kültür Yayınları
Sertifika No: 11213

3. Baskı: 2012
ISBN: 978-9944-88-634-5
Genel yayın numarası: 1709
Uzakdoğu'da basılmıştır.

Çeviren: Ali Berktay
Editör: Nevin Avan Özdemir

Türkiye İş Bankası Kültür Yayınları
İstiklal Caddesi, Meşelik Sokak No: 2/4
Beyoğlu 34433 İstanbul
Tel: (0212) 252 39 91 - Fax: (0212) 252 39 95
www.iskultur.com.tr